Coco yn
Ymuno
â'r Syrcas

Coco yn
Cerdded ar
Raff

Coco
y Clown

I Leo, fy ŵyr,
sydd bob amser yn llawn hwyl a sbri!
E.D.


I Egg

V. G.

# Coco yn Ymuno â'r Syrcas

TOCYNNAU

6

Roedd Coco wrth ei fodd pan welodd y pebyll. Roedd wedi eisiau bod yn y syrcas erioed.

Ga i ymuno?

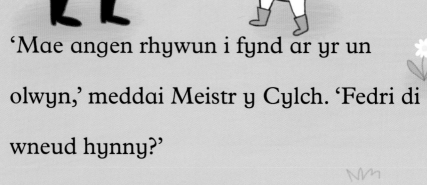

'Mae angen rhywun i fynd ar yr un

olwyn,' meddai Meistr y Cylch. 'Fedri di

wneud hynny?'

'Wrth gwrs!' meddai Coco.

Roedd Coco mor gyffrous. Doedd e ddim yn gwybod beth oedd yr un olwyn. Ond doedd e ddim eisiau dweud hynny!

Efallai mai uncorn ar olwynion oedd e?

'Dyma ti!' meddai Meistr y Cylch.

Gwgodd Coco. Dim ond un olwyn

oedd gan y beic!

Sut gallai Coco ei reidio?

Eisteddodd Coco ar y beic.

Rhoddodd ei draed ar y pedalau a

siglo … a woblan.

Yn sydyn gwthiodd rhywun Coco.

Pedlodd Coco'n gyflym iawn. Roedd

yn seiclo! Hwrê! Am hwyl!

Dilynodd Coco y lleill i'r cylch.

Curodd y dyrfa eu dwylo.

Gwna'n union
fel Mari!

Gwthiodd Coco un goes allan, yn union fel Mari.

Yna rhoddodd Mari un droed ar ei sedd. A Coco, hefyd …

Yna safodd Mari ar ei thraed.

Roedd ofn ar Coco, ond safodd hefyd.

Dyma fe'n siglo …

... a woblan ...

... a syrthio i'r llawr.

O ... na!

Chwarddodd y dyrfa.

Ro'n nhw'n meddwl ei fod eisiau

syrthio.

17

Curodd pawb eu dwylo, felly ymgrymodd Coco a gwenu.

Pam mae pawb yn curo dwylo?

# Coco yn
## Cerdded ar Raff

Roedd Coco'n gwybod ei fod yn dda

i ddim ar y beic un olwyn. Ond

roedd yn dwlu ar y syrcas.

'Ga i aros?' gofynnodd.

O'r gorau …
mae gen i'r
swydd berffaith
i ti!

Doedd Coco ddim yn hoffi ei swydd newydd. Roedd eisiau gwneud i bobl wenu.

Felly roedd yn canu wrth weithio.

Roedd pawb yn dod draw i'w

glywed a phrynu candi-fflos.

Doedd Coco ddim yn gallu ymdopi!

22

Felly gwnaeth i'r peiriant fynd yn gynt.

O diar!

Candi Fflos

Rhaid cael swydd arall i ti!

23

Gofynnodd Meistr y Cylch i Coco

gerdded ar hyd y rhaff ar y borfa.

Dyna hawdd!

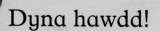

'Da iawn!' meddai Meistr y Cylch.

'Cei di gerdded ar raff.'

Roedd Coco mor gyffrous. Roedd

ganddo wisg sgleiniog.

Buodd e'n ymarfer drwy'r dydd.

Perffaith!

O'r diwedd, roedd hi'n bryd mynd ar y

rhaff!

Roedd y rhaff mor uchel.

Roedd cerdded arni yn teimlo'n

wahanol iawn.

Dyma Coco'n siglo …

y…

o!

ac yn

woblan …

Ac yna cwympodd …

yn union ar ben Meistr y Cylch!

Sori!

Chwarddodd y dyrfa'n hapus.

Yn sydyn, gwelodd Coco fod Mari
ar siglen uchel iawn. Beth tasai hi'n
cwympo?

Rhedodd Coco 'nôl ac ymlaen, yn

barod i'w dal hi.

Ond roedd yn rhy brysur yn edrych

i fyny …

Ych!

… i weld ble roedd e'n mynd!

Roedd Coco'n gwybod ei fod wedi

gwneud cawlach y tro hwn.

Byddai'n rhaid iddo fynd o'r syrcas.

Waa!

31

Dechreuodd Coco adael y cylch. Ond daliodd Meistr y Cylch ym mraich Coco wrth i'r dyrfa chwerthin a gweiddi hwrê.

'Chei di ddim mynd,' meddai wrth Coco.

'Rwyt ti'n seren!'

# Coco

## y Clown

Pan ofynnodd Meistr y Cylch i Coco
fod yn glown, dim ond am y noson
honno, roedd Coco wrth ei fodd.

'Dwi erioed wedi eisiau bod yn glown!' gwaeddodd. 'Ond do'n i ddim yn meddwl mod i'n ddigon doniol.'

Rwyt ti'n ddoniol iawn – heb drio, hyd yn oed!

COCO Y CLOWN!

Roedd angen gwisg ar Coco. Ond doedd dim byd yn ei ffitio.

Gwisga'r rhain i gadw dy drowsus i fyny.

Gwaeddodd pawb hwrê wrth i Coco redeg i'r cylch. Ond yn sydyn … **SNAP!**

Cwympodd trowsus Coco i lawr.

Wrth i Coco blygu i'w codi nhw,

cwympodd ei het.

38

Safodd Arthur ar yr het heb feddwl.

Rhedodd Coco ar ei ôl.

Gyrrodd Arthur i ffwrdd yn ei gar –

yn gyflym. Neidiodd Coco ar y cefn …

… a chwympo i ffwrdd!

Chwarddodd pawb. Gwenodd Coco.

Am hwyl!

Yn sydyn, gwelodd y teisennau

cwstard.

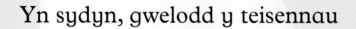

Roedd Coco wedi meddwl methu

Arthur.

Ond wnaeth e ddim!

Wrth i Arthur redeg ar ei ôl, baglodd

Coco dros ei esgidiau mawr ...

... a baglodd Arthur dros Coco.

Yn gyflym, chwistrellodd Coco ddŵr

o'i flodyn mawr plastig dros Arthur.

Ond aeth y dŵr dros y dorf hefyd!

Chwarddodd y dyrfa. Ymgrymodd

Arthur a Coco …

… bwrw eu penolau …

…a chwympo eto!

Gwaeddodd y dyrfa hwrê.

'Coco!' meddai Meistr y Cylch.

'Rwyt ti mor ddoniol! Wnei di fod yn

glown am byth?'

Roedd Coco'n methu siarad.

Ond roedd ei wên fawr yn rhoi'r ateb

i bawb.

Roedd yn glown o'r diwedd!